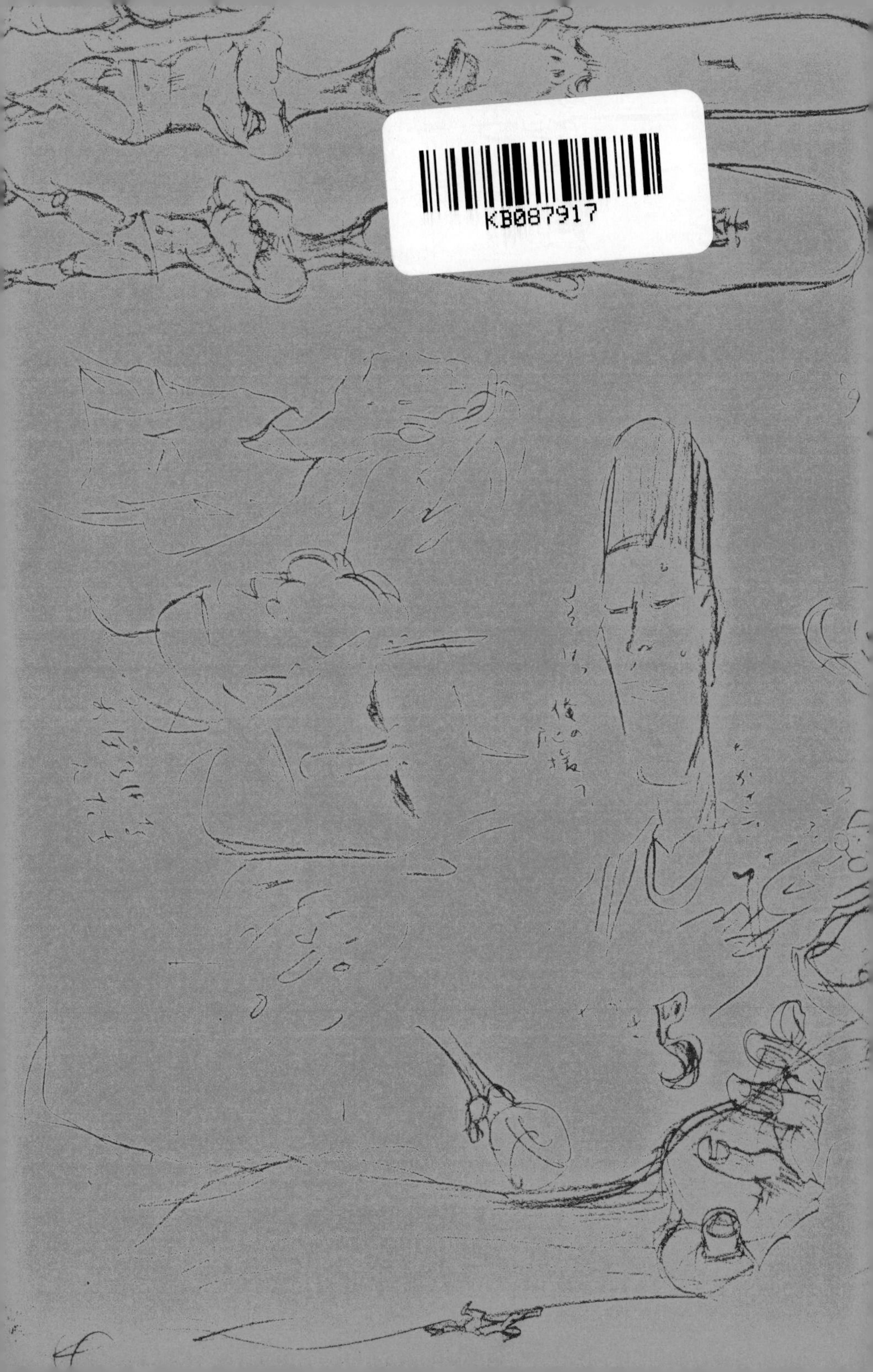
KB087917

● CONTENTS ●

• CONTENTS •

♯102 런 & 건

와—
와—
4번
오케이
—!!
5번!!
常誠
大附 等学校籠

북산은
맨투맨인가…?
이 대회에서 거의
맨투맨 작전을
쓰는군요.
응, 북산에는
맨투맨이
잘 들어맞는 것
같아.

하지만 하나
마음에 걸리는 건
1번(포인트 가드)
자리….
송태섭 —
이정환은
미스매치야….

민구야!!
!!
정말이다!!
저렇게 쉽게
선취점은 해남이다!

웃샤!!
!!

오오!!

주장!!

고릴-라!!

간다,
속공이다!

두두두
우와아!
아직도 점수가
나지 않았어!!
채치수도
굉장한걸!!
이번은
북산의
찬스다!!
두두두

파이팅!
북산!
북산의 장기인
런 앤 건
오펜스다!
북산은 이 빠른
공격으로 시합을
항상 자신들의
흐름으로
바꿔놨어!!
바로
이 속공
이다!!

휙
정대만!!
3점슛인가!!
!!
파앗
슥
우왓, 벌써 돌아왔어!!
어림없지!

!!

나이스!!

3 점슛만 있는 게 아냐!

선취점은 우리가 따낸다!!

이정환!!
SHOHOKU
4

우욱…!!

좋았어!!
쿠
우웅
KAINAN
4

다앙
!!

해남의 역습이다!
두
두
두
으랏차 ―!

두두두
2대2다!!

전호장에게
붙어!!
으….
알고 있어, 임마!! 그리고 잘난 듯이 내게 지시하지 마!!
두
두
두
두
두

태웅아!! 신준섭의 3점슛을 조심해!!
3점슛을 쓸 가능성도 있어!!

던질 생각인가!?

!!

26
나이스
패스!!
SHOHOKU
10
웃기는군,
야생원숭이!!

받아라! 고릴라 특기, 파리채 블로킹!!

아니…!?
뭐야…!

카—
카
카
카
부들
부들

♯103 군웅할거

부우우웅
부릉
붕
부르르릉
아앗,
또 추월
당했잖아!!
재룡군,
더 세게
밟아!!
안전제일!
초보운전
PRESS

부웅―
부르릉
나참! 우리들만으로 능남 대 무림전까지 취재하라는 건 너무해요.
무리 같아요!
어쩔 수 없잖아, 사람이 없으니까!
어쨌든 1분이라도 놓치면 안돼! 어서 밟으라니까, 어서!!

전호장….
해남도 엄청난 인재를 발굴해냈어….

아 아
勇猛果敢
능남고등학교 농구부

영수야!!
수비,
확실히
해!
陵南

와아아
心技一体
武里高
옛!!
!!
패스!!
핸드오프!!
계속
움직여!!

타악
!!

윤대협♡
나이스 커트!!
어… 어떻게 저 신장으로 볼을 가로챌 수 있지?!
윤대협!!
와아

!!
武里
8

와앗!!

나이스 패-스!!
굉장해—♥
믿을 수 없었다~!!
우와! 저런 패스가 가능하다니!!

우와아아! 눈깜짝할 새에 또 2점!!
와아아아아
이건 도저히 막을 수가 없겠는걸!!

헉!
헉!
빌어먹을…!
하아!
하아!

와
아
아
무림
9:54
능남
8
1ST
31
능남이 너무 강해!!
결승리그인데도 압도적이잖아―!!
아
아
와
그만두지 못해!
동생이시죠? 전 이재룡이라고 해요. 하진 선배한테 늘 도움을 받고 있죠.
작년에는 똑같이 4강이었던 능남과 무림….
와
와
와
누나?!
1년 사이에 이렇게까지 차이가 나다니….
와
쳇, 기자석에나 앉아있지 왜 여기까지 와서 난리야!
경태야, 너도 열심히 해서 꼭 대협 선수처럼 돼라!

자아,
갈까!
탕
탕
웃샤!
좋아!!
OK!!

와
해남대부속
16:21
북 산
1ST
0
6
와
북산이 아직 점수를 못 내고 있어!
역시 전호장의 덩크가 효과가 있었나봐!!
와아아아
아
아
한방 먹은 충격이 크겠지!!

저 원숭이
녀석….

상양전을 봤다.
덩크를 할 때의 기분은 어떠냐?

……

훗!
과연 유명인 …!

너는 말해줘도 몰라!!
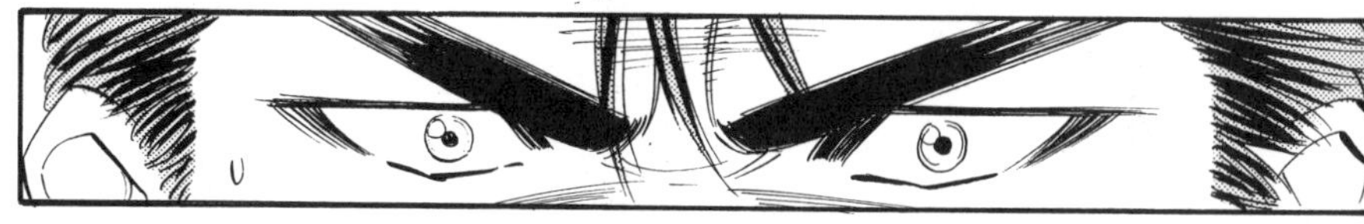

이 천재를 바보취급 했겠다!

이번엔
어떡해서든
꼭 성공시켜야
하는데….

어쨌든 우선
골만이라도!

좋아!
가라,
정대만!

!!

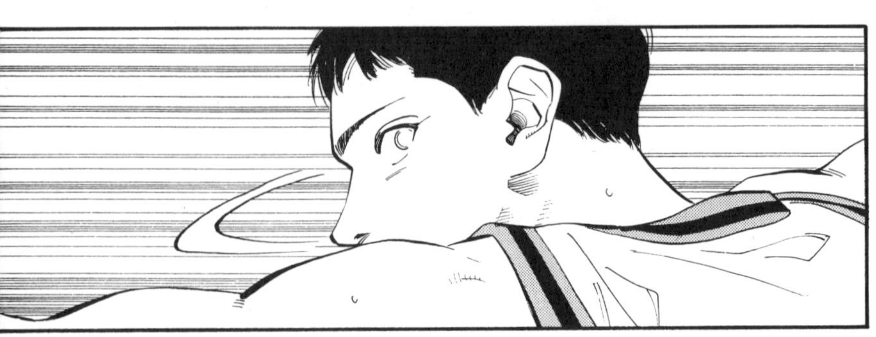

채치수!!

치수야!
너만
믿는다!!

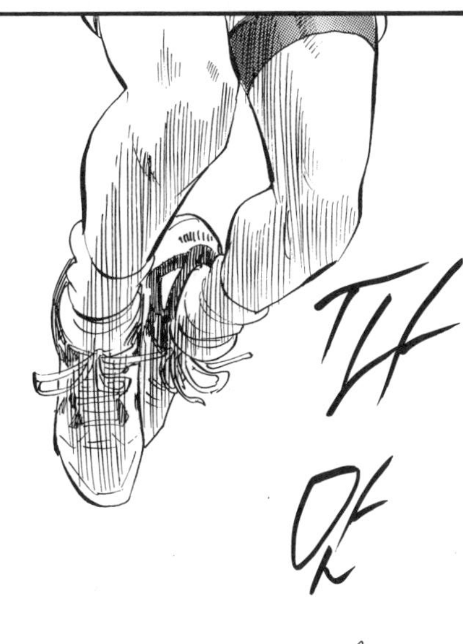

어딜 감히!!
!!
원숭이!!

저… 저럴 수가!!
말도 안돼!!
저 10번!
저런
말도 안되는
점프를!!!

크윽!
쿵
고릴라!!
봤냐!
와아아
아아
흐흣
그건
네 얘기겠지!
우…!
우왁!!

#104 계산밖의 선수

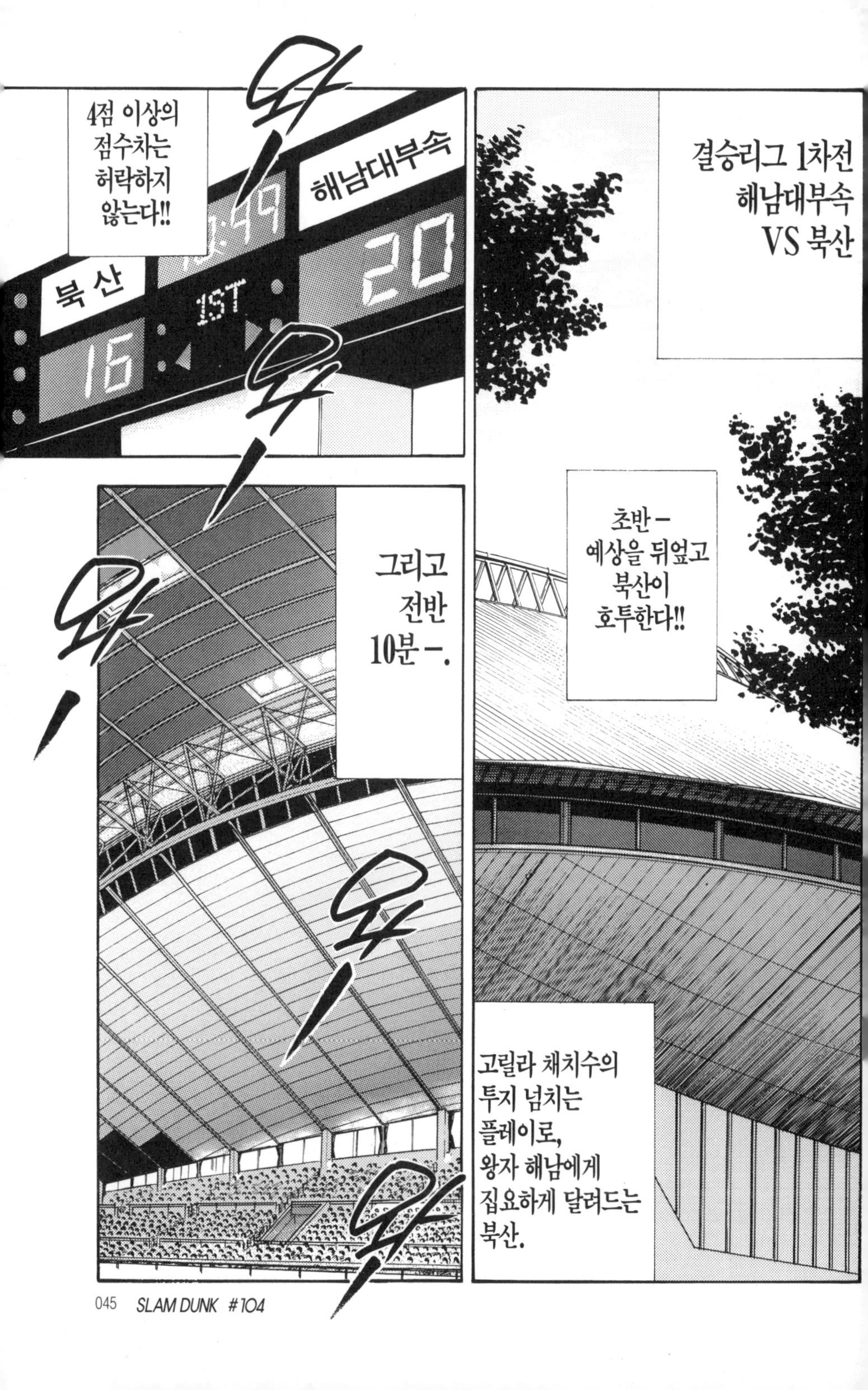
결승리그 1차전
해남대부속
VS 북산
초반—
예상을 뒤엎고
북산이
호투한다!!
고릴라 채치수의
투지 넘치는
플레이로,
왕자 해남에게
집요하게 달려드는
북산.
해남대부속
북 산
20
16
1ST
4점 이상의
점수차는
허락하지
않는다!!
그리고
전반
10분—.

팍
우오옷!!

읏!?

나이스, 강백호!
공격 리바운드를 잡았다!!
아앗!!

좋아, 일단 볼을 돌려!
전열을 가다듬는 거다!!

웃샤!!
좋아,
침착하게!
......
자, 1골만
넣자!!
와
짝 짝
와아 아 아 아
잘한다
강백호!
나이스
리바운드!

와
와
강백호의
저 리바운드는
이젠 우리팀에
없어서는 안될
전력이 됐습니다!
해남한테도
통하고
있어요…!!
호호호!
그런 거
같군요.

펄쩍펄쩍
……
와

앗!!

젠장…!!
!!

……

으랏차!!
와앗!!
벌떡
우와아! 날았다!!
웃샤!!
!

탁
나이스 패스!!
앗

우와아
위험해 ―!!
아아아

쿠다
다당
!!

쿠당
탕
아앗!!

백호야!!

저 녀석 괜찮을까?

이야-압!!
파
앗
!!
처억
아니, 뭐야?! 펄펄 날잖아!
상처 하나 없는데!
간닷!
두두두
감독을 쿠션으로….
선생님, 괜찮으세요!!
음….
정말 잘 뛰는군….
운동량만 가지고 따지면 이정환도 능가하고 있다….
겨우 3개월밖에 안된 강백호가….
……

보아라,
리바운드
왕의
실력을!
와아ㅡㅡ앗!
또
잡았다!
재미있는데.

10번은 내가 마크 한다!!
정환이형!!
웍!?
우와-! 도내 넘버원 플레이어 이정환이 강백호에게 붙었다!!

...당신,
몇살이야?
엉?
와
정말
고등학생?
와
!

머...
멍청한 녀석!!

얌마,
야생원숭이!!
너 아주
교활하구나!
아저씨까지
끌어들이고!
비겁자!
저런 또라이!!
정환이형은
그래봬도
버젓한
고 3 이야!
18살이라구!!
뭣이,
18살!?

....
힐끔...

삑삑삑
시합중이다!
양팀 모두
사적인
얘기는
삼가하도록!!
뚜벅

뭐가
18살
이야!!
비겁한 놈!
날 속일
생각은 마!
....

이번은
경고로 끝나지만,
다음엔 몰수시합을
선언할 수 있으니까
주의하도록!
특히 양팀
각 10번!
너희들
말야.
흥!
멍청한 것들!
아예 퇴장
당하는 게
낫지!

이거
이거.

그러면
곤란하지.

…………

천하의 이정환을
바보 취급하는
녀석이
있다니.
강백호만이
그럴 수
있지.

두려움이
뭔지도 모르는
애송이가…!
어떻게
돼도
난 모른다.

오잉
…?

겉늙어
보이는 건
오히려 채치수
쪽이지.
구우웅
콰
아앙
이정환!
뭣이!?
그러고
보니까
….
봉지마!!
마음에
두고 있었던
걸까….
SHOHOKU
4
SHOHO

오너라, 강백호!
좋다!!
간닷, 애늙은이!!
헉헉.
헉헉.
과연 어떻게 진행되고 있을까!?
PRES

와아아아
골밑은
내가
제압한다!!
강백호!!
헉!
!!

!?
1학년 강백호에게 이정환이 붙었어!?
나이스 블로킹, 정환이형!!
주제도 모르고 날뛰는 애송이한테 한방 먹여줘요!
아, 안돼! 기다려!
준섭아!!
이봐, 애늙은이!
나이스 슛!!

북산
9:32
해남
1ST
18
24
6점차다!!
점수차가
벌어지기
시작했다!!

그거 한번
해봐.

젠장!!
저
애늙은이!!
백호야!

이런 무례한
녀석은 정환이
형이 마크할
가치도 없어요!
제가
맡을게요!
이게…!?

디펜스!!
디펜스!!

보고있는
쪽이 훨씬
긴장돼요….
백호 녀석,
해남의
이정환을
상대하는데도
전혀 주눅들지
않네요!

하긴 입학초부터
치수 선배에게
싸움을 걸었던 만큼
배짱 하난
두둑하겠죠….

너따위 녀석을 내가
마크하는 것도
황송하게
생각해라!
야생
원숭이!!
자아,
1골 넣자!!
1
골
!!

백호야!!

웃샤!!
10번
오케이!!

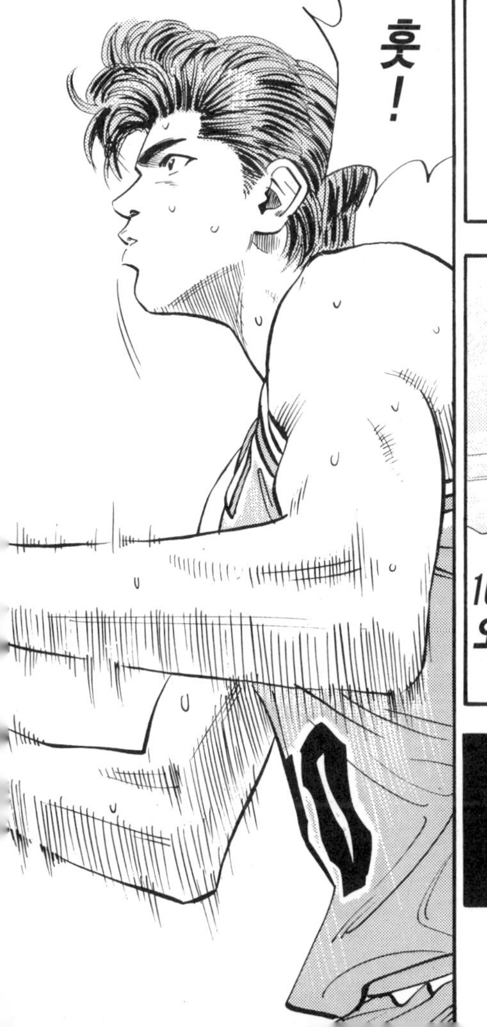
훗!

스윽

!!

됐어!

철썩

와아아아아
우와아아
아-아!!

백호야,
이번엔 정말
멋졌어!!
송태섭!!
계산밖의
선수에게
휘둘려 상양은
자기 페이스를
잃고 말았다….
녀석을 슬슬
코트 밖으로
쫓아내 볼까나~.
소연아
해냈어!!
백호야!!

우캬캬캬캬
키킥
크윽…
SHOHOKU 10
10
부들부들

#105 천재와 풋내기

나이스,
강백호!!
하하핫!!
오늘의 스타
강백호라
불러줘요,
안경 선배!!
연습 때도
그렇게 멋진
훼이크를
한 적이
없었잖아!
빌어먹~을!!
으이구
분해라!!
아악
분해!!
참을 수
없어!!
빌어먹을!!
감히
내게!!
아,
속터져!!

어떠냐? 정환아.
상양을 쓰러뜨릴 만한 게 있더냐?
펄럭
펄럭

끈기가 있어요, 5명 모두….
특히 골밑은….

좋았어….
강백호를 밖으로 몰아내자.

익현아!!

예?

준섭이와
교체다.

……!!
깜짝

강백호를
마크하는
거다!

홍익현 해남대 부속고 3학년.
160cm, 42kg. 시합경험 없음.
겉모습 허약.
해남대 부속고 농구부의 연습은 질과 양, 모두 격이 다를 정도로 심하다고 알려져 있다.
매년 봄이 되면 각 중학교 에이스급으로 알려진 선수들이 이 명문 중의 명문을 동경해서 들어오지만,
반 이상은 일주일만에 그만둔다.
한달이 지나면 나머지의 반이 또 그만두고

1년이 지날 무렵 남아있는 사람은 2할도 채 되지 않는다.

그는 농구 초보자였다.

그러한 그에게
부원들의 선망은
두터웠다.
서
억
그러나
그는 남았다.

그 백호
녀석, 아무
것도 아닌 게
까부는
거예요!
우와
아
익현이형,
부탁해요!!
아
파이팅!!
익현이형!
파이팅!!
아

익현아!!
너의 3년간의
노력을
터뜨려봐라!!

정환아…!!

………
꾹
꾹
…

헛둘!
울
헛둘!
울

해낼테다!
내가 할 수 있는 모든 것을!!
슥…

척

자아, 갔다오거라!!
옛!!

해남대부속
1ST

와
와
와
가라, 백호야!!
오늘의 널 막을 자는 아무도 없다!! 강백호 GO!!

와와
그래!! 챔피언 해남을 상대로 멋지게 대결을 펼치고 있어!!
파이팅!!
와
자아, 어서들 와라―!!
와
끼익

오잉!
응?

쑤앙
슥
슥
돌
슈아앙
울렁
울렁
울렁
오옷!?
뭐야,
저 작고
이상한
녀석은!?
실
실
……
……
울렁
그만큼
좋은
선수라는
얘길까요?
웬일이죠?
주전 신준섭을
빼다니…?
울렁
……
울렁

와앗!!

아-앗!!
익현이형, 긴장 풀어요!!

뭐야? 전혀 대단하지 않잖아.
발도 늦고!

이정환!!

이 아저씨!
이렇게
빠를 수가!!
와
미안해!
괜찮아!
와
자아,
이젠
수비다!!
와

끼익
끼익
끼익
!!

엉…!?
10번 마크 OK!!

※박스원: 상대의 슈터나 특정 플레이어를 한 명이 맨투맨으로 마크하고, 나머지 4명이 지역방어를 펼치는 수비형태.

해남,
이
녀석들!!
이
천재에게
감히
풋내기를!!

상양의 안경과
능남의
두목원숭이조차
두려워하는
이 골밑의
지배자에게!!
시, 시끄러워!
알았으니까,
어서 경기나 해!

욱!
……
잘했어요,
익현이형!
더
말해줘요,
더!!
내… 내게서 점수를
따낼 수 있을 거
같으면, 얼마든지
따내봐!
……!!

그런 말
안해도
얼마든지
넣어주마!!
받아라!!
왜 막지
않는
거냐!?
아니!?
가능한한
강백호를
도발해라.
하지만 수비는
전혀
안해도 돼!
......!!
....

!!
휘익
앗!!

노골!?
아무도 막지 않았는데?!
탓
덥석
……
……

둥
웅
헉!!
좋아――!!
이번엔 반드시 넣어라, 골밑슛!!

뭐하는 거야!? 아무도 막지 않는데 왜 골을 성공 못 시키는 거지?!
웅성
웅성
빌어먹을…. 넌 전혀 할 의욕이 없구나! 경기할 생각은 있는 거냐!!
있다!
그렇구나….
응?
왜 그래? 호열아.
술렁
술렁

성현준이나
두목원숭이 같은
녀석들에게 지지
않으려고 집중하는
와중에 운도 따르고
해서 그 만큼이나
활약할 수 있었던
거지….
백호는 상대가 강하면
강할수록… 절대 지지
않으려는 마음에,
강한 집중력을 발휘해서
대응해 왔어….

와
와
상대가 강하지
않으면 실력
이상의 것은
발휘되지
않는건가….

와
처음 오빠랑
승부했을 때도
그랬어….
맞아.

와아
뭐하는
거야?!
아
아
아아-앗.
또
못 넣었어!
저 녀석의
골밑슛은
초보자보다
더 형편
없잖아?!
아

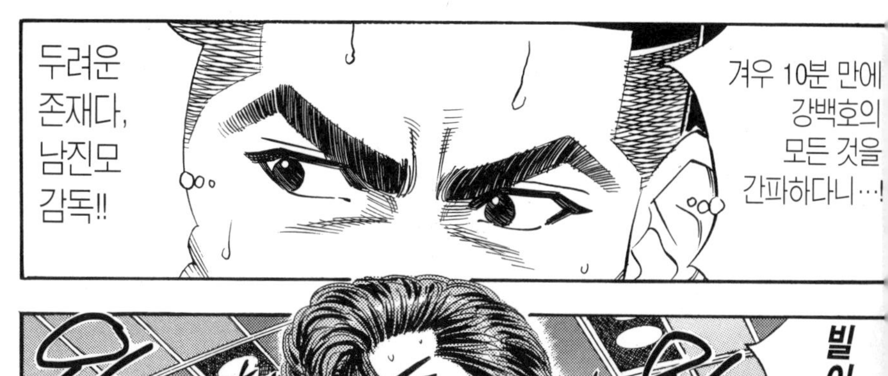
겨우 10분 만에 강백호의 모든 것을 간파하다니…!
두려운 존재다, 남진모 감독!!

빌어먹을…

훗! 점점 바닥이 드러나는군.

키킥
푸훗……
부들
부들
10
10
부들
…….

♯106 벌거벗은 강백호

짝
이 녀석!!
야
……
……
투
웅
!!
다닥
아앗!
이럴 수가!
또 노골
이다-!!

헉!
헉!
빌어먹을!
헉!
역시 안돼!! 농구를 막 시작한 백호에겐 아직 골밑슛과 점프슛을 가르치지 못했어!!
와
그래서 저런 수비에서도 슛이 들어가질 않는 거야!!
와
…….
오히려 이정환에게 마크당하는 쪽이 좋았는데….

과연 남감독이군….
강백호의 실체를 완전히 파헤치다니….

엄청난 점프력과 리바운드에 현혹되어선 안돼.
운동능력은 있어도 그는 어디까지나 3개월된 초보자.

어차피
풋내기다.
속공
성공!!
역시 해남!!
점수차가
벌어지기
시작했다!!
북 산
6 57
해남대부속
24
1ST
34
북산이
고전하는걸!

저 빨강머리가 시합을 완전히 망치고 있어.
아~아! 저 10번이 거저먹는 슛을 실패만 안했어도 조금은 막상막하로 경기를 펼칠 수 있었는데….

쳇…. 뭔가 좀 보여줘라, 백호야…!!
다시 한번 그 뚫린 입으로 말해보시지!!
그만둬.
신준섭이 없는 지금, 점수차가 벌어진다는 건 말이 안돼!!
저 15번은 신경쓰지 않아도 돼!!
그 대신 다른 4명을 집중 마크한다!!

고릴라….

어떻게 하면
들어가죠?
하아
하아

하아
내 슛이
들어갔다면
이렇게는
….
하아

하아
하아
……!!

파악
!!

송태섭!!

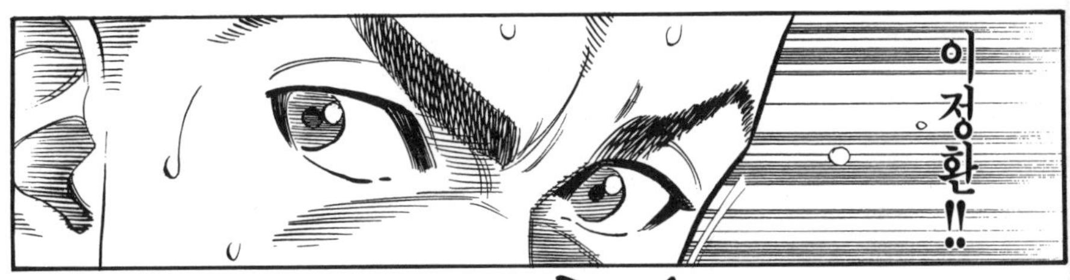

이정환!!

다닥
수비다,
강백호!!

말로 해서 바로
쑥 들어갈 수
있다면
이미 옛날에
가르쳤다…!!

15번은
무시해!!
이정환에게
붙어라!!

찬스다,
익현아!

불끈!

──!!

너무
얕보고들
있군….
홍익현!

촤르르
!!
아니!!
좋았어!!!
와아
3점슛이다!!
나이스 슛, 익현이형!!
과연!!
와아
와
아…
와
와
……!!

역시 해남의
유니폼을
입을 자격이
있는 남자다!
얕보지 마라!
꽉
약

와

와
숏만이라면
널 빼고
우리팀에서
넘버원이다.
저
녀석….

와
꾸준히
노력해온
걸요.
익현이형….

잘한다!
잘한다!
홍익현!!
와
와
6:46
1ST
멋지다!
멋지다!
홍익현!!

자아,
와라!
강백호!
뭐야…!!
우와아ㅡ.
투지가
대단한걸,
홍익현!!
우와아아
고릴라!!
뭔가
요령 좀
알려줘요!!
요령!!

지금 뭔가
하지 않으면
단번에 당하고
만다고요!!
그렇게 되면
만회하지
못해요!!

……!!

이 녀석
나름대로
해남의 힘을
피부로
느끼고 있다는
건가…!!
그 말대로다…!!

강백호…!!
옛!!

이 시합중에
골밑슛을
몸에 익히려는 건
무리다.
이젠
쏘지
마라!
뭐요
!?

꽈악
응?!!

골밑에서는
덩크만을
노려라!
!!

와—
아마도 그게 들어갈 확률이 가장 높을 거다…!!
와—
자, 수비!! 한골 막자!!
끼익
우오!!
끼익
끼익

설마 초보자였을 줄이야…. 젠장!!
강백호…!! 슛은 좀 서툴다고 생각했지만….
와—
그 초보자에게….
그만해.
우리들은 진 거야.
와—

저렇게 되면 아무래도 북산은 마크가 허술한 강백호로 승부를 내야 할 것 같은데!!
해남의 저 박스원은 강력해!! 홍익현을 제외한 4명의 수비가 북산에 거의 슛할 기회조차 주지 않지!
와—

!!
또 저 녀석이다 !!
내가 성공했으면 점수가 이렇게 벌어지진 않았을 거야!!
내가 골인시킨다!!
그만둬! 어차피 들어가지 않을텐데!!
시끄럿-!!!
움찔…
!!
와라! 강백호!!

!!

직접 내리쳐 주겠다! 받아랏!!
우와아앗!!
Wilson

우왁!?

삐익
파울!!
해남 4번!
프리스로!!
!!
프…
프리스로…?
이정환…!!

……
빤히—
키킥
킥
KAINAN
10

＃107 숨기다

프리스로!!

젠장···!!

아아 ….
지금 이정환의 파울은 완벽하게 고의였어 ….
백호가 프리스로에 약하다는 걸 간파한 거야.

…………

강백호, 어깨의 힘을 빼라.
아… 음!
손만으로 던지는 게 아니라 무릎도 쓰는 거다.

익현아!!

강백호의
점프슛은
감독님이
말한대로
무시해도 돼.
절대
들어가지
않는다.

그리고
이제부턴
전부 덩크슛을
할 거야.
덩
크…
!!
아마 그게
채치수가 강백호에게
내린 작전일테지.

덩크를 하려 하면
무조건 파울을 해라.
두려워
할 것
없어!!
!!

녀석은
프리스로라면
절대로
들어가지
않아!!

와 아아아
Dr. T의 도움이 되는 바스켓볼 입문
프리스로 할 때, 볼이 링에 닿지도 않고 떨어진 경우, 슈터의 바이얼레이션이 되고, 상대의 볼로 인정한다. 이것은 슈터에겐 상당히 부끄러운 일이다.
······!!
우우~ 역시 안돼!!
2개 모두 실패했어!! 더구나 링에 닿지도 않고!
삐-익
바이얼레이션!!
빌어먹을~!!
일부러 파울한 거지, 애늙은이!!

과연
왕자
해남!!
두두두
북산의
저 기세가
통하질
않아!!
두
아아…
우리팀의
분위기가
엉망이
됐어!!
벌써
한참동안
노골 상태다
…!!
약점은
아직도 많이
있을 거다….
그 때는 더 이상
코트 위에 설 수
없게 될걸….
어느새 백호가
우리팀의 분위기에
커다란 영향을
미치는 선수가
되고 말았구나….
모든 것을
파헤쳐주마,
강백호!

성공이다-!!
와-
익현이 형!!
보기완 다르게 괜찮은 슈터군!
중요체크다!
굉장하군요.
15점차!! 역시 이렇게 될 줄 알았어-!!
와아
야
산
해남대부속
1ST
39
올해도 해남을 이길 수 있는 팀은 없단 말인가!!
야
야

삐―익
작전타임, 북산!!
응?

常勝
海南大付属高
……!!

안선생님…

우와앗―! 오늘은 북산 감독도 움직인다!!
항상 허수아비처럼 앉아 있었는데!!

와아아아아아아아
골―인이다!!
능남
5:24
무림
100
2ND
54
100점째―!!
좋았어!!
와아
공장해!!
능남이
저렇게
강하다니!
와

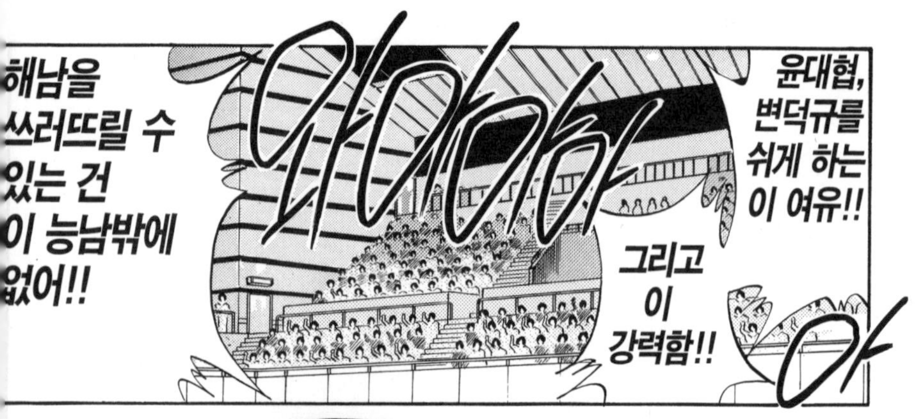
윤대협, 변덕규를 쉬게 하는 이 여유!!
와아아아
그리고 이 강력함!!
아
해남을 쓰러뜨릴 수 있는 건 이 능남밖에 없어!!

……………

강하다….

능남이 강한걸까…?
아니면 무림이 약한걸까…?

무림은 그렇게 나쁜 팀이 아냐.

능남은 강하다….
……
어머…! 상양의 김수겸 선수 아녜요…?
저… 악수 한번 해도 될까요…!
……
까약-!
과연 수겸이야….
와
와
……

작년의 그 신인이
지금 이렇게
강한 선수가
된 건가…?
윤대협…!
SWEAT
이젠 최고의
컨디션으로
결승리그를
치를 수 있어!
좋아…!!
이것으로 우선
1승을 올렸다!!
교체입니다!!
삐
익
112
2ND
60
전국대회
출전이
가까워졌다!!

자아,
너희들이
마지막을
멋지게 장식
하는 거다!!
으아앗!!
예엣!!
야
야

뭐요!? 잠깐만요, 영감님!!
아무리 그래도 소용없네.

교체 입니다.
…………

이 이상 약점을 간파당하기 전에.
……

두닥 두닥 두닥 두닥
이 천재에게 약점 따위가 있다고 생각해요!?
제발 생각을 바꾸세요!
그만두지 못해!!
……

자, 다시 한번 파이팅 하자!
척
아-앗!!
벌써!!

정대만

삐—익
!!
좋아!
간다!
와
!
OK!!
교체당하고
싫지
않아-!!
기다려!
난 아직
건재
하다구!!

그럼 가볼까!
꾸
욱
읍!

잠자코
지켜보기나
해라.
멍청아.
서태웅…!!

오오―!
북산은
강백호를
빼버렸잖아!
와
와
와
와
숨긴건가…?

오오-! 해남도 홍익현을 빼버렸는데!
와
와
나이스! 익현이형!
와
익현아! 아주 잘 해냈다!!
와
후우….
안감독님이 단호하게 강백호를 교체시켰군.
켄터키 할아버지를 많이 닮았어….
와
와
어쨌든 레이업과 덩크 이외는 수비할 필요가 없다는 게 다 탄로나 버렸으니….
아아…!
교체라….
……

감독님은 너의 약점이
해남에게 전부
드러나, 쓸 수 없게
되기 전에
널 보호하고 싶었을
거야….
나중에
활약시키기 위해
지금은 쉬게 하는
거라고 생각해.
알았으니까
그만해.

그래,
보고 있으마!
네 녀석이
어느 정돈지
지켜봐
줄테다….
너, 서태웅…!

SHOHO
……

터억
SHOHOKU
11
10

서태웅.
드디어 너와 승부할 때가 왔구나.

맨투맨인가 …?

자아, 한골씩 따라잡자!!
와
와
모두 파이팅!!

15 점차가 뭐냐 ─!!

꺄아 꺄아 꺄아
서태웅♡
서태웅♡
서태웅♡

뭐냐 ─!!

더 늘었어……

수퍼루키라고
소란들을 떨지만,
그건
네가 북산에
들어갔기 때문이다.
해남이었다면
스타팅 멤버도
될까 말까지….
애송아….

꿈틀

자아,
누가 넘버원
루키인지
결판짓자구!!

이놈이고
저놈이고
지껄이는 건
잘도
하는구나…!

SLAM
슬램덩크 완전판 프리미엄
DUNK

♯108 초강력 리바운드 머신

!!

우와! 서태웅 대 전호장!!

어느 쪽이 한 수 위일까요!?

날 빠져나갈 수 있는 건 초일류 포인트 가드 뿐이다!!
그런 엉성한 드리블로 날 이겨보겠다고? 장난하지 마라-!!

잉!?
절묘해!!
공장해!!
뒤쪽을!!
!!
쉽게 보내줄 것 같으냐!?

아앗!!
뭣! 내가 파울을!?
디펜스 파울!!
말도 안돼-!!
어째서 나의 멋진 수비에 파울을 준 거야?!
그 정도는 봐줄 수도 있잖아!!
뭣이?!
쳇…. 호각소리가 널 살렸다.
곧 죽어도 재잘거리긴….

이봐요, 안경 선배!!
나 대신에 간 거니까, 내 말 잘 들어요! 서태웅에게만 패스하지 말아요!!
무, 무슨 소리야!?
여기, 여기!
!

방금 말했었다!
아아-악!!

우와
저 수퍼루키 두 사람, 완전 불꽃 튀기는 대결이군!!
전호장과 서태웅!!

누가 넘버원 루키인지 결정하는 대결 같잖아!

흥!
그런 것 따윈 신경 안 써.
헉

뭣이!?
헉

좋아-!
가라,
서태웅!!
!!

놓치지
마라,
전호장!

내게
맡기라니
까요!!

끼이
익
!!
아앗,
안돼!

촤
골인이다-!!
나이스 슛-!!
와아아아아
오빠!!
태웅아!!
쳇!!
와
저 똥강아지 녀석…!!
불끈
불끈

앞으로
13점….
헉헉
북산
5:54
해남대부속
26
1ST
39
와ー
와ー
서태웅….
와ー
15점!!
15점 차이만 벌어지면 안전권이다!!
자, 우리도 한 골 꼭 성공 시키자!
타앙
와ー
오오!!
!!

후웃!!
채치수!!

우와
초강력 리바운드 머신, 고릴라!!
우와
나이스 리바운드!!
간-다!!
고릴라!
주장의 투지가 굉장한걸!!
1학년 때부터 계속 말이다.
그게 당연하잖아, 달재!

常勝
海南大附属高等学校籃球部

거기까진
좋았는데,
왜 또
서태웅에게
패스를!!

11번
오케이
!!
!!

아앗-!
해남의
수비도 엄청
빠르다!!
속공은
무리야!!
멋지다!!
역시
해남!!
……

우웃!!

억지로라도 밀어붙일 심산인가!?
저런 터무니없는 짓을!
웃기지 마라, 서태웅!
안 들어가!!
탁
역시!!

!!
앗!!
그래서 서태웅이 저렇게 밀어붙인 거야!!
그렇구나!!
채치수의 리바운드를 믿고!!
!!

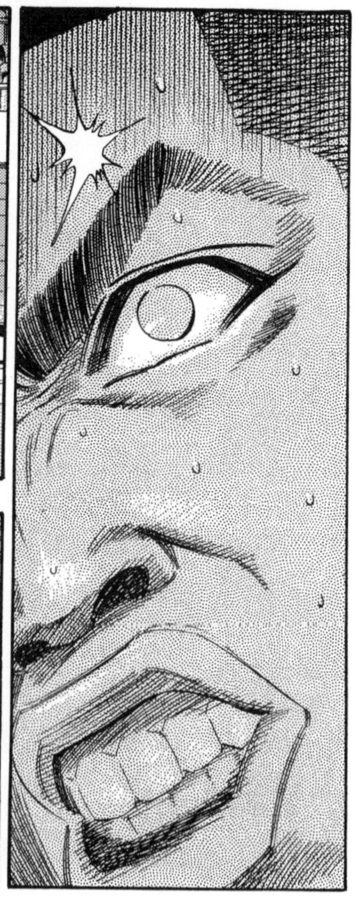

골인이다―!!
출렁
와아아아
우와아아! 파이팅 북산!!
와
!!
앞으로 11점….
와
!?

왓
서태웅-!!
야야야야
좋았어! 추격 개시다!!
이대로 맥없이 포기할 북산이 아냐!!
ACCIDENT

!?
응!?
채치수!!

♯109 ACCIDENT
고릴라!!

으윽…!

삐
익
레프리 타임!!
웅성
웅성
무슨 일이지!?
누군가가 쓰러져 있어!!
웅성
웅성
웅성
채치수가 부상!?
오빠…!!
술렁
술렁

술렁
술렁
치수야, 일어날 수 있겠어?!
주장!!
우선 신발부터 벗기자!!
웅성
웅성
……
발목을 삐었나….
웅성
웅성
!!
아-앗, 엄청 부었잖아! 안 아파요, 고릴라?!

삐ー익
선수
교체!!

아ー앗.
채치수가
교체다!!
와아아
이럴 수가!!
채치수가
빠지면….
아아

하아

하아
하아
하아

하아
하아
하아

정신적 지주가 빠진다는 건 엄청난 충격이다.
특히 북산 같은 젊은 팀에게는….

찬스다.
감독님 …!!

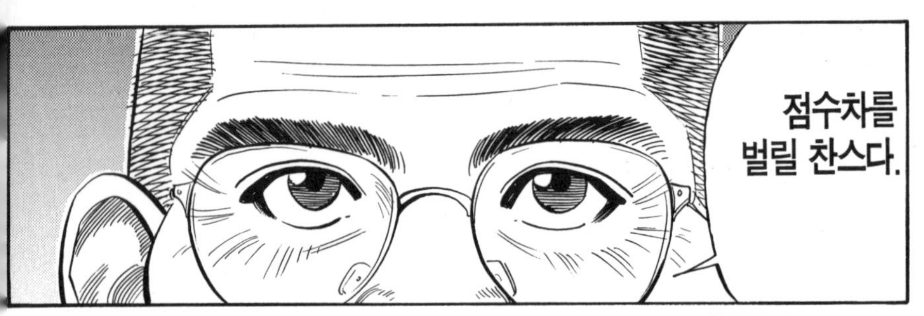
점수차를 벌릴 찬스다.

술렁
술렁
초보 기자인 제가 보기에도 채치수의 리더십은 굉장했어요.
그가 빠지는 건 다른 멤버가 빠지는 것과는 차원이 달라요!
술렁

웅성
이것으로 북산은 끝이겠군요….
웅성
웅성

아마 경기장 안의 모든 사람들이 그렇게 생각하고 있을 거야….
웅성
……!!
웅성

…………

북산고교
대기실

……!

SHOHOKU
예!?

붕대로
꽉 묶어줘.
움직이지
않도록!

먼저
의무실로
가서 검사를
받아야만
해요…!!
강백호, 넌
어서 코트로
돌아가라.
!

아…음!!

쾅
당

어서 붕대나 감아줘.
정말 이 상태로 나가실 생각인가요!?

나간다.

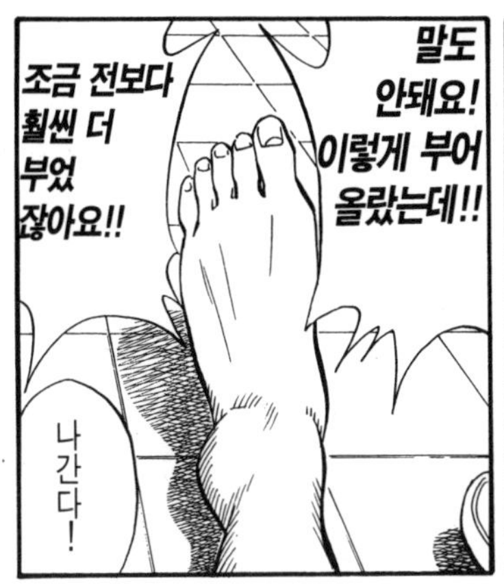
말도 안돼요! 이렇게 부어 올랐는데!!
조금 전보다 훨씬 더 부었잖아요!!
나간다!

검사부터 받아야 돼요!!
일어서지도 못하면서!!
난 나간다.

SHOHOKU
뼈에 이상이 있는지도 모르잖아요!!

됐으니까
어서
붕대나
감아!!

―!!
깜짝
!!
빌어먹을!
하필
이런 때….

어째서 지금…!!

뼈가 부러져도 좋다….
걸을 수 없게 되어도 좋다…!!

간신히
잡은
찬스다…!!
SHOHOKU
10

선배님….

타도 해남!!

……….!!
강백호….

삐
시작합니다!!
와
좋았어!
간닷-!
오오!!
우

백호군.
응?!

태웅군.

!

채치수가 없는 지금….
인사이드는 자네들 두 사람에게 달려있네.

!

!!
둘이서
골밑을
사수하는
거네!
스윽
와
와
꽉
꽉
와
와
스윽
스윽
……
움찔
아-악!
손이
썩는 것
같아!!
저벅
저벅
자-
레츠 고-.

좋아, 인사이드를 중심으로 공격하자!!
!
예엣!!

그럴 수가…. 우리 해남은 상대의 약점을 이용하지 않더라도 얼마든지 이길 수 있잖아요!!
전호장….

저 글자가 보이지 않느냐?
……!!
常勝

해남의 플레이어라면 그런 물러터진 소린 하지 마라.

옛!!
꿀꺽

그래…. 왕자 해남은 항상 이기기 위한 최선의 방법을 선택한다!!
상대가 약점을 보이면, 놓치지 않고 그곳을 찌르는 것이 해남의 바스켓이다!!
그 사실을 내가 깜박했군….
후웃!!

아ー앗!!
와아
나이스 커트ー!!

네 플레이는 속이 빤히 들여다보여!
멍청이…
시끄럿!!

하하하
멍청한 놈!!
하하하
크크크

#110 고릴라가 빠진 구멍
으랏차! 속공이닷!!
북산
5:20
28
1ST

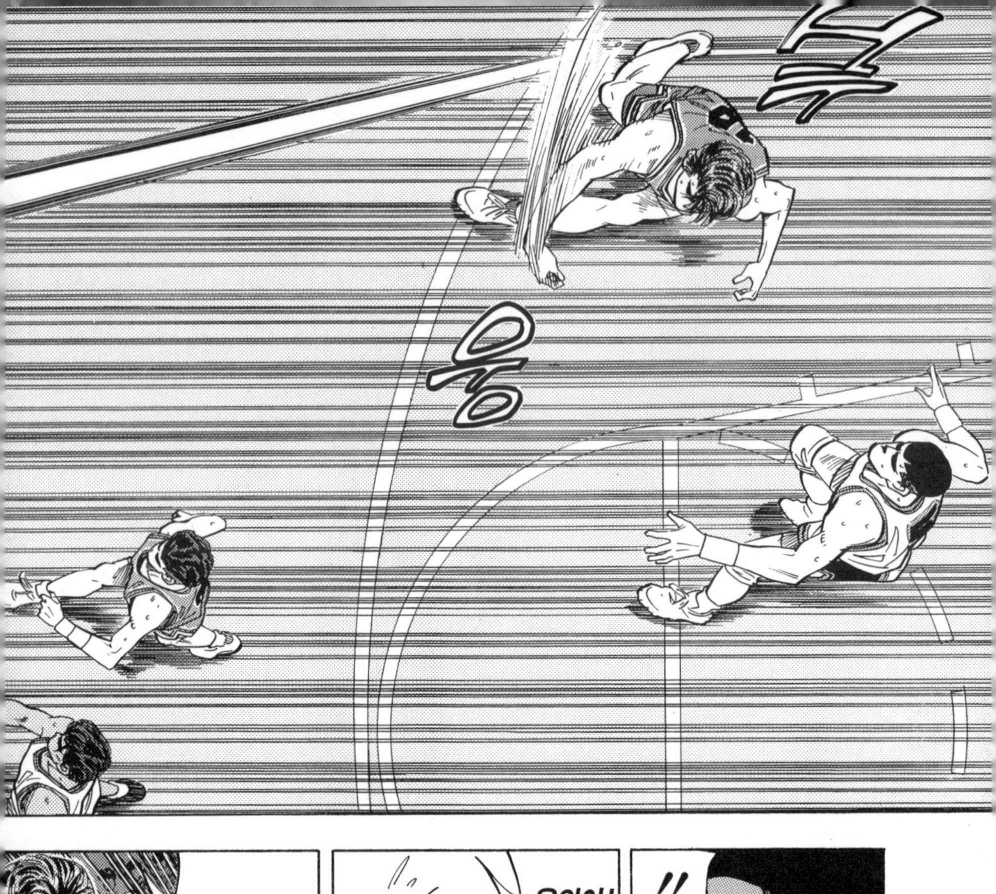
붕
웅

!!

우와아! 엄청난 패스다!!

슛해요, 안경 선배!!
SHOHOKU
12

후웃!!

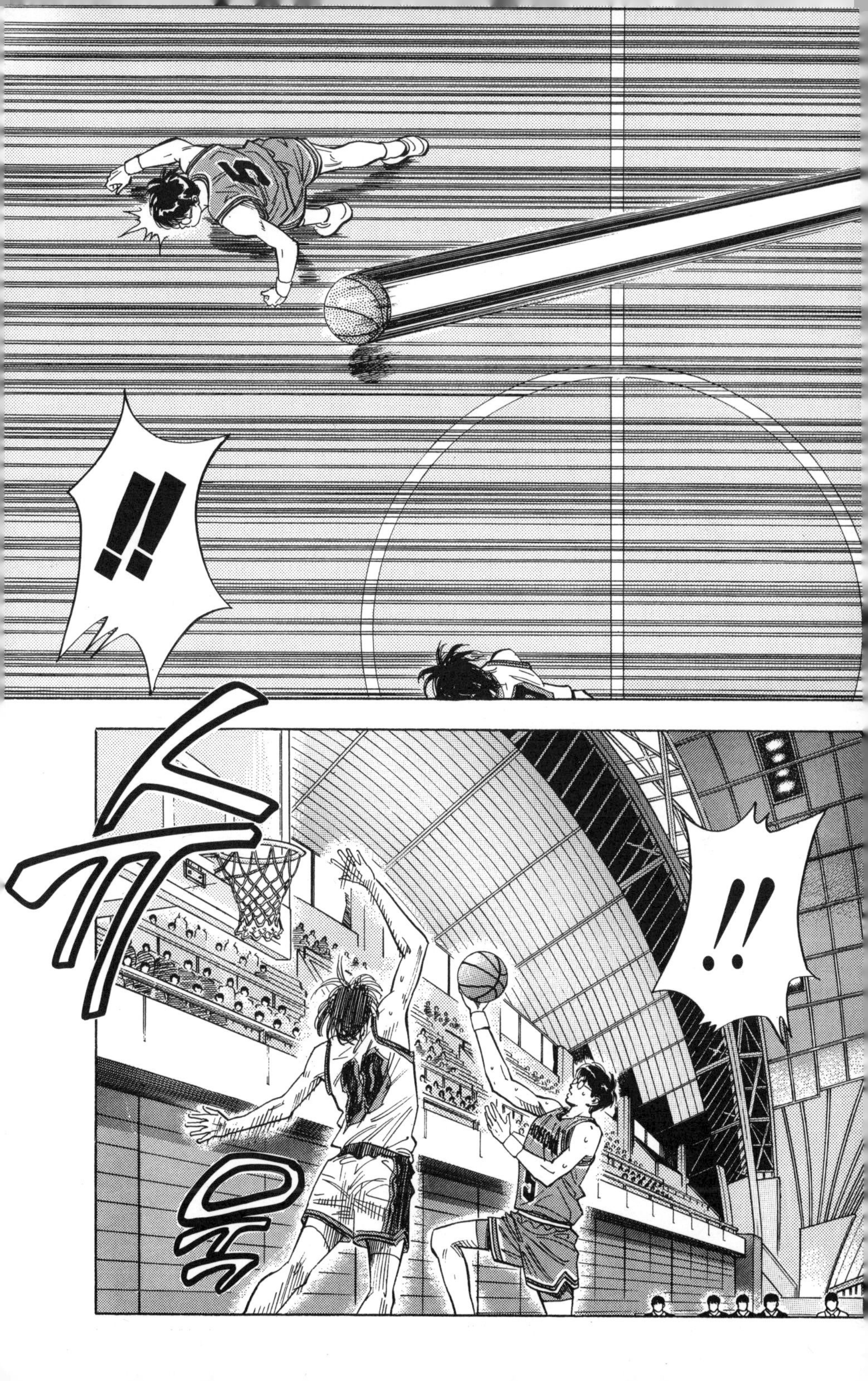

아니,
점프를
이렇게
높이!!
우와앗!!
하압!!
SLAM DUNK #110 170

와
나이스 블로…!!
아
!!
나이스 패스.
아—앗!!
와아아아아아
성공이닷~!!
39대30!!
으….
앞으로 9점….

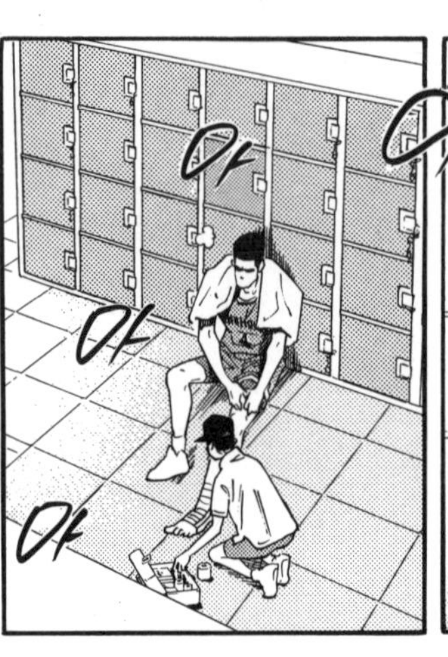
와
아
아
아
아
북산고교
대기실

부탁한다….
힘껏 버텨다오…!!

좋아,
이제는 수비다!!
치수가 없는
만큼 모두
협력해서
싸우자!!
짝
짝
오오!!
와—
와—
와—

헉
헉
하지만 해남을
상대로 치수가 없이는
솔직히 너무 힘든
시합이다, 준호야.

고릴라는
반드시
돌아와.
!!

고릴라가 빠진 구멍은 내가 메운다.
백호야….
……
……
자, 이제부터가 문제야. 채치수가 없는 북산이 얼마나 버틸까는!!
북산에 있어서 채치수가 없어 고통스러운 건 득점력의 저하도 있지만, 그것보다도 수비에 더 큰 영향이 있어!!
북산
해남대부속
30
39
1ST
골밑에서의 채치수의 고교생답지 않은 위압감은 상대팀에게 있어선 위협의 대상이었을테지!!
그건 해남도 예외가 아냐!!

채치수가 빠진
골밑을 어떻게
지킬까가 문제야.
고민구!!

와라!!
고릴라가 빠진
구멍은
내가 메운다!!

!!
!!

받아랏! 고릴라 특기 파리채 블로킹!!
오호!
우와아 아아 —!!

읏
스윽

응!?

역시 고민구!!

!!
멋지다—!!
휘익

!?
우왓!!

너 혼자만으론 역부족이다.
우와아
아
!!

서태웅!!
좋아!!
빙긋
노골이닷-!!
아
아
아

…빌어먹을
해남
녀석들!

우와아아
~앗!!!
골밑에
해남이
4명!!
애늙은이!
넌 내가
막아
주겠다!!

탁
약
휙
!!

나이스 패스!!
!!
어딜 감히!
탁
악

하압!!
!?
쳇!!
나이스
송태섭!!

아앗!?

받아라,
북산!!
우호호호
— 홋!!

……
와
아
아
아
골밑의 킹콩 동생!!
우왓!?

훗
천재
크윽…
KAINAN
10
SHOHOKU
10

#111 킹콩 동생

우와아아
아-아!
엄청난
함성이군….
설마….
북산고교
대기실
……!!
철컥

와와
소연아!
이 함성은
대체 뭐니…?!
아
아

오빠!!
한나
언니!!

굉장해!!
백호가 또
엄청난
플레이를
했어!!

으랏차-!
덤빌테면
덤벼봐!!
와아아
-.
멋지다
강백호!
빌어먹을
-!!
저
녀석에게
블로킹
당하면
이상하게
화가 나
죽겠어!!

리바운드!!

우오!!

알겠냐.
리바운드를
잡느냐
못 잡느냐는
골밑의 포지션
싸움에 달려있다.
틀렸어
!!
몸으로 버텨서
막는다!!
이것이
스크린
아웃이다!!

웃!!
리바운드!!
후웃!!

멍청하긴!!
너처럼 잡고나서
방심하는 게
가장 위험해!!
착지와 동시에
밑에서 노리고
있는 너석도
있다!!
발아

볼을 잡으면
겨드랑이
밑으로
잡아당겨,
절대로 놓치지
않는다는 투지를
상대에게
보여줘라.

골밑은
전장이다!!
자신의 골밑은
어떡해서든
사수해야만 해!!
우호!!

좋았어
ㅡ!!
잡았다!!
나이스
리바운드
강백호!!

백호야,
치수의 자리를
메운다고 해서
그렇게 무리해서
치수 흉내를 내지
않아도 돼!!
으.

알고 있어요,
안경 선배!!
가자!!
OK!!

고릴라가
돌아올 때까지
절대로 이 이상
점수차는
벌여놓지 않겠어.

해보일테다!!
내가 지금 할 수 있는 것을 한다!!

좀 부끄럽긴 하지만 이게 지금 내가 갖고 있는 무기의 전부다!
드리블 기초, 패스 기초, 풋내기 슛, 리바운드—.

백호야…!

백호군이…
조금은 어른이 된 것 같군….

하나 더.
아냐….

천재적
재능에 의한
덩크!
이것이야
말로
최강의
무기!!
쿠우와아아아아아
자,
한 골
넣자!!
OK!!
북산고교
대기실
킹콩
동생이라니….
와
아

귀엽죠,
선배님?
흥….

그 무렵
다른
경기장에선
─.

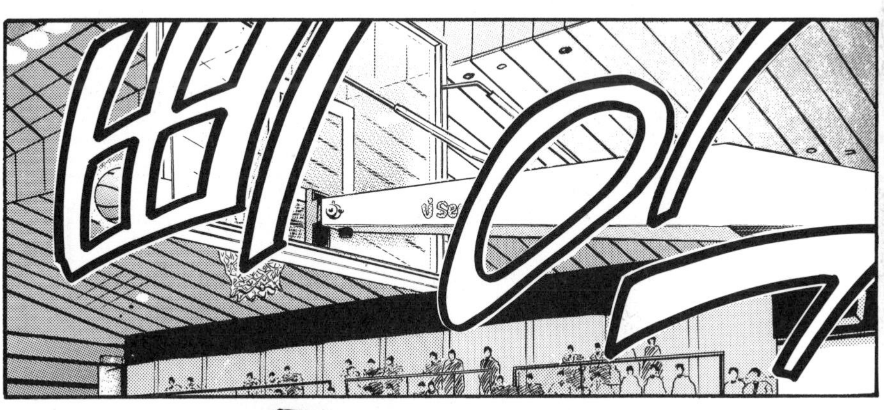
삐익

시합종료
─!!
와아아아
능 남
무 림
117
2ND
64
능남이 무림을
100점 이상의
득점으로
눌렀다.

득점 35
리바운드 17
블로킹 4개라는
어마어마한
기록을 낸
변덕규(202cm)
는….
그 외모뿐
아니라,
활약에
있어서도
괴물을
연상케
했다.
그리고
일부에서는
변덕규보다도 높은
평가를 받고 있는
올라운드 플레이어
윤대협은…,
SENDOH
UOZUMI
陵南
분명히 아직까지
자신의 실력의
모든 것을 발휘
하지 않았다.
어쨌든
현시점에서는
능남이
전국 대회 진출이
가장 유력한
팀이었다.
멋지다-!!
해남도
물리
쳐라!!
능남 117
(1승)
-64 무림
(1패)

자, 전반은 이제 2분 남았다!!
해남대부
북산
와아아아아
부주장 권준호는 팀을 이끌 타입으로는 보이지 않는군요.
자, 채치수가 없는 북산은 과연 누가 이끌어 나갈까!?
속공!!
포인트 가드 송태섭은 넘버원 플레이어 이정환을 마크하느라 더 이상의 플레이는 힘들어!
3학년 정대만은 완벽하게 마크당해 상양전 같은 움직임이 안 나오고,
이대로라면 점점 해남의 페이스에 휘말리고 말아!!
좋았어!!
常勝
海南大附属高等学校籠球部

아아 - 앗!
안돼.
역시 해남은
수비 전환이
엄청 빨라!!
속공은
무리다!!

헤이!
!!

휙

서태웅!!

슛인가!?

슛이다!!
!!

골인이닷!!!

북 산
2:05
해남대부속
1ST
36
우와~앗!!
나이스,
서태웅!!

와
아
와아
예?
지금 건
슛을 쓰지
말았어야
했어!!

속공이 무리였다면,
일단 볼을 돌려서
차분히 찬스를
만드는 게 기본이야.
만약 그게
노골됐으면
바로 역습을
당하고
말았을걸.
해남이라면
그런 실수를
가만히 보고만
있지는
않을테니까.

서·태·웅♡
까 까
까
서태웅♡
서태웅♡

서태웅이 전혀
페인트를 쓰지
않은 것이
오히려 호장이에겐
페인트가 되고
말았어요.
그렇군.

서태웅 ㅡ
확실히 신인치곤
뛰어난 플레이어지만,
플레이가 자기
중심적이라는
결점이 있어…!!

하지만
와
와
채치수가 빠진
북산의 맹추격이
지금부터
시작되리라곤…,
와
와
북산
1:58
해남대부속
36
1ST
45
아무도
예상하지
못했다.

앞으로
9점….

서태웅
친위대 북산고 본부
서태웅 ♡
서태웅 ♡
서태웅 ♡

시합에 지는 건
참을 수 없다.

북산
해남대부속
36
1ST
45

상대가 아무리
해남이라고
해도

자, 점수차를
두자리로
벌여놓고
전반을 끝내자!!
옛!!

절대 지고
싶지 않다-.

서태웅의
결점…!
그건 바로
자기 중심적인
(SELFISH)
플레이에 있어!

앞으로
9점!!
#112 SELFISH
SHOHOKU

점수차를
더 이상
벌여놓으면
안돼!!
디펜스!!
고릴라가
돌아올
때까지 이
점수차를
지키자!!
흐음…!
호오,
그런 건방진
소릴
하다니!
그보다
네 걱정이나
하셔!!
다앗

타
닷
!!

파
웃!!
악

우호!!
SHOHOKU
10
10

SHOHOKU
10
10
10

아니…!!
빨라!!
SHOHOKU
10

저 멍청이!!

으윽!?
!!

앗!!
쿠당탕
웃차차!
앗!
파울이야!!
좋았어! 호각소리가 울리지 않았다!!
와아
속공!!

!!
빌어먹을!!
오래간만에 내뱉는! 뜰레 이름!
서태웅, 너한텐 절대 안 져!!
앞으로 9점!!

동식아,
정대만을
마크해!!
볼—
OK!!

벌써 원위치로
돌아오다니.
이 녀석들은
인간도 아냐!!
괴물같은
놈들!!
하아
하아
하아
미안하지만,
스피드라면
절대 지지
않는다.
펄럭
펄럭

……

저 부채가
눈에
거슬려….
저 아저씨…
찌릿

아－앗!
안되겠어!
또 다시
속공
실패다!!
해남 녀석들
정말 잘
달리는데!!
수비전환이
빨라!!

가장
기본적인 것을
착실히
해내고 있어.
과연 왕자라고
불릴만한
팀인걸!!
흐-음
그런
건가요…?

헤이!

서태웅…!
제멋대로인
플레이만으로는
해남과의
점수차가 더욱
벌어질 뿐이다….

!!
서태웅!!
!
SHOHOKU

파앙
!!

이런….
우와아아아아.

골인이다!!!
서태웅!!
……!!
……
와
와

서·태·웅♡
북 산
해남대부
서·태·웅♡
서·태·웅♡
지금도
자기중심적인
플레이였나요?
……

!!
스틸!!
앗!!

15

들어갔다
—!!
우와—앗!!
앞으로
5점!!
PRESS
KAINAN

SLAM
슬램덩크 완전판 프리미엄
DUNK

슬램덩크 완전판 프리미엄 10

2007년 9월 23일 1판 1쇄 발행 2023년 2월 14일 2판 3쇄 발행

•

저자 ······ TAKEHIKO INOUE

•

발행인 : 황민호
콘텐츠1사업본부장 : 이봉석
책임편집 : 김정택/장숙희
발행처 : 대원씨아이(주)

•

서울특별시 용산구 한강대로 15길 9-12
전화 : 2071-2000 FAX : 797-1023
1992년 5월 11일 등록 제 1992-000026호

•

©1990-2022 by Takehiko Inoue and I.T.Planning, Inc.

•

ISBN 979-11-6944-804-8 07830
ISBN 979-11-6944-793-5 (세트)

•

• 이 작품은 저작권법에 의해 보호를 받으며 본사의 허가 없이
복제 및 스캔 등을 이용한 온, 오프라인의 무단 전재 및 유포·공유의 행위를 할 경우
그에 상응하는 법적 제재를 받게 됨을 알려드립니다.
• 잘못 만들어진 책은 구입하신 곳에서 바꾸어 드립니다.
• 문의 : 영업 02-2071-2075 / 편집 02-2071-2116

SLAM
슬램덩크 완전판 프리미엄
DUNK

SLAM
슬램덩크 완전판 프리미엄
DUNK

SD内ランキング
ヘッドバンドの似合う人
1位 清田信長
似合わない人1位
WHO
すんません
SD内ランキング
耳のでかい人
1位 神宗一郎
2位 相田彦一